HUBERT REEVES
nous explique
LA BIODIVERSITÉ

SCÉNARIO
HUBERT REEVES
NELLY BOUTINOT

DESSIN
DANIEL CASANAVE

COULEURS
CLAIRE CHAMPION

LE LOMBARD
BRUXELLES

**RECOMMANDÉE PAR HUBERT REEVES
POUR SON RÉSEAU D'OASIS NATURE :
L'ASSOCIATION HUMANITÉ & BIODIVERSITÉ**
WWW.HUMANITE-BIODIVERSITE.FR

Merci à Daniel Casanave pour
son toujours excellent travail !
HUBERT

Merci à Florence.
DANIEL

Direction éditoriale
David Vandermeulen

Suivi éditorial
Camille Monnart

Conception graphique
Rébekah Paulovich et Éric Laurin

Certifié PEFC
Ce produit est issu
de forêts gérées
durablement et de
sources recyclées
et contrôlées.
PEFC
10-31-1800
pefc-france.org

D/2017/0086/026
ISBN 978-2-8036-7079-6

R 03/2018

Dépôt légal : octobre 2017
Imprimé et relié en France par PPO Graphic

LES ÉDITIONS DU LOMBARD
7, AVENUE PAUL-HENRI SPAAK
1060 BRUXELLES - BELGIQUE

Pour être tenu informé de la date de parution
du prochain album, profitez de notre service d'alerte.
Rendez-vous sur www.lelombard.com/alertes.

WWW.LELOMBARD.COM

SANS LES ÉTOILES, NOUS
NE SERIONS PAS LÀ. EN
MOURANT, ELLES LIBÈRENT
LES ATOMES QUI SONT
NÉCESSAIRES À LA
CONSTRUCTION DE TOUT
ÊTRE VIVANT.

ET VOILÀ LE RÉSULTAT :
DES PLANTES, DES ANIMAUX,
TOUTE UNE BIODIVERSITÉ ...
ICI ET PARTOUT, DANS L'EAU
ET SUR LA TERRE ...

AUJOURD'HUI, JE SUIS INVITÉ À UN VOYAGE SCOLAIRE.

UNE ENSEIGNANTE A OBTENU LES AUTORISATIONS NÉCESSAIRES POUR EMMENER UN PETIT GROUPE D'ÉLÈVES À LA DÉCOUVERTE DE LA BIODIVERSITÉ D'AUJOURD'HUI.

EN ROUTE !

POURQUOI OBSERVER CE VIADUC ALORS QUE NOUS SOMMES LÀ POUR PARLER DE LA BIODIVERSITÉ ?

JUSTEMENT, C'EST UN BON EXEMPLE ! LE BÉTON ET L'ACIER UTILISÉS DOIVENT LEUR EXISTENCE À LA BIODIVERSITÉ DU LOINTAIN PASSÉ.

AH BON ? L'ACIER EST POURTANT UN MATÉRIAU FABRIQUÉ PAR LES HOMMES À PARTIR DU FER.

OUI, MAIS S'IL Y A 2,3 MILLIARDS D'ANNÉES, LES PREMIÈRES MINUSCULES BACTÉRIES, DE COULEUR BLEUE, N'AVAIENT PAS LIBÉRÉ D'OXYGÈNE AU SEIN DE L'OCÉAN, OXYDANT AINSI LE FER, ON NE POURRAIT PAS DISPOSER AUJOURD'HUI DE MINERAI D'OXYDE DE FER NÉCESSAIRE À LA FABRICATION DU FER ET DE L'ACIER.

ET LE BÉTON ?

C'EST PAREIL ! IL Y A DES MILLIONS D'ANNÉES ... DES ALGUES MICROSCOPIQUES À COQUILLE CALCAIRE SE SONT ACCUMULÉES À LEUR MORT...

... FORMANT DES COUCHES DE SÉDIMENTS DANS LESQUELLES ON PUISE POUR FABRIQUER DU CIMENT ET DU BÉTON.

ÇA ALORS !

ET CE N'EST PAS FINI ! TOUS LES GROS ENGINS QUI ONT SERVI SUR LE CHANTIER ONT UTILISÉ LA BIODIVERSITÉ VÉGÉTALE D'IL Y A QUELQUES CENTAINES DE MILLIONS D'ANNÉES. AVEC LE TEMPS, ÇA A DONNÉ LE PÉTROLE DONT ON TIRE L'ESSENCE.

FAIRE FONCTIONNER LE MOTEUR D'UN MINIBUS, COMME CELUI DES VOITURES ET DE NOMBREUX APPAREILS MÉNAGERS (MACHINE À LAVER LE LINGE, RÉFRIGÉRATEUR ...), CHAUFFER NOS MAISONS L'HIVER, CUIRE LES ALIMENTS, ETC. TOUT CELA NÉCESSITE UNE SOURCE D'ÉNERGIE.

IL EXISTE TROIS TYPES D'ÉNERGIE FOSSILE : CHARBON, PÉTROLE, GAZ NATUREL ...

... DONT LES RÉSERVES S'ÉPUISENT !

POUR LES VOÎTURES, C'EST LE PÉTROLE QUI NOUS INTÉRESSE, CAR C'EST LUI QUI DONNE L'ESSENCE.

IL Y A QUELQUES CENTAÎNES DE MILLIONS D'ANNÉES, LE PLANCTON MORT (PLANTES ET ANIMAUX MARINS MICROSCOPIQUES) S'EST DÉPOSÉ AU FOND DE LA MER ; CES AMAS SE SONT DÉCOMPOSÉS SOUS L'ACTION DES BACTÉRIES ET SE SONT TRANSFORMÉS EN UN LIQUIDE VISQUEUX NOIR OU MARRON ...

... FLUÎDE ET LÉGER, TOUJOURS PRISONNIER DANS LES CAVITÉS ROCHEUSES : C'EST LE PÉTROLE BRUT. IL FAUT CREUSER DES PUITS POUR ALLER LE CHERCHER.

ENSUITE, ÉTANT DONNÉ QUE LES PÉTROLES BRUTS SONT DIFFÉRENTS, IL FAUT LES TRAITER DANS DES RAFFINERIES D'OÙ SORTENT PAR EXEMPLE ...

LES GAZ BUTANE ET PROPANE.

LE KÉROSÈNE, CARBURANT DES MOTEURS D'AVIONS.

L'ESSENCE POUR LE MOTEUR DE NOTRE MINIBUS.

LE CHARBON, LE PÉTROLE, LE GAZ NATUREL SONT APPELÉS "ÉNERGIES FOSSILES" CAR ILS PROVIENNENT DE LA DÉCOMPOSITION D'ORGANISMES VIVANTS APPARTENANT À LA BIODIVERSITÉ D'IL Y A DES CENTAINES DE MILLIONS D'ANNÉES.

AVEZ-VOUS DÉJÀ GOÛTÉ L'ALIGOT ?...

LA MEILLEURE PURÉE DU MONDE !

UNE PURÉE DE POMMES DE TERRE ET DE TOME FRAÎCHE ...

... CE FROMAGE AU SI BON GOÛT ...

... GRÂCE AU TRAVAIL D'ORGANISMES MICROSCOPIQUES DANS LE LAIT !

LE VIN DOIT AUSSI SON GOÛT AUX POPULATIONS DE MICROBES ASSOCIÉES AU RAISIN. ELLES SONT INVISIBLES À NOS YEUX.

C'EST UNE DES RAISONS, OUI ! LA DIVERSITÉ DES CÉPAGES FAIT EN SORTE QUE LES VINS DE BORDEAUX DIFFÈRENT DES VINS DE BOURGOGNE !

MERCI LA BIODIVERSITÉ ! LEVONS DONC NOTRE VERRE D'EAU À SA SANTÉ !

L'EAU PURE, EXCLUSIVEMENT CONSTITUÉE D'EAU, N'EXISTE PAS. À VOTRE AVIS, QUELLE EST LA PLUS PURE ?

REGARDEZ LA COMPOSITION DE L'EAU SUR LES ÉTIQUETTES DES BOUTEILLES. ON Y RETROUVE DES SUBSTANCES MINÉRALES DIFFÉRENTES (CALCIUM, MAGNÉSIUM ...) EN FONCTION DES SOLS TRAVERSÉS PAR L'EAU AVANT QU'ELLE NE SOIT PRÉLEVÉE.

AQUA

DANS CERTAINES RÉGIONS, L'EAU DU ROBINET EST DITE "DURE". ÇA SIGNIFIE QU'ELLE CONTIENT BEAUCOUP DE CALCAIRE.

ET SI ELLE A RENCONTRÉ DES ZONES POLLUÉES, L'EAU S'EST CHARGÉE AUSSI DE MATIÈRES INDÉSIRABLES, COMME DES PESTICIDES, DES MÉTAUX LOURDS TEL LE PLOMB ... DES NORMES EXISTENT, CAR L'EAU N'EST POTABLE QU'À CERTAINES CONDITIONS. ELLE NE DOIT SURTOUT PAS CONTENIR DE SUBSTANCES ORGANIQUES, DE MICROBES, DE BACTÉRIES OU D'AUTRES VIRUS.

LES EAUX DE SOURCE SONT DES EAUX NATURELLEMENT PROPRES À LA CONSOMMATION HUMAINE.

LES EAUX MINÉRALES SONT DES EAUX DE SOURCE AVEC DES TENEURS EN MINÉRAUX ET OLIGO-ÉLÉMENTS QUI LEUR CONFÈRENT DES VERTUS THÉRAPEUTIQUES.

ET LES EAUX GAZEUSES CONTIENNENT DU GAZ CARBONIQUE.

L'EAU DU ROBINET EST SOIT NATURELLEMENT POTABLE, SOIT ELLE PASSE DANS UNE USINE POUR LA "POTABILISER" AVANT D'ÊTRE DISTRIBUÉE DANS LE RÉSEAU COMMUNAL.

PARFOIS, ELLE SENT UN PEU L'EAU DE JAVEL, CAR LE CHLORE EST UTILISÉ POUR NEUTRALISER CERTAINES MOLÉCULES ORGANIQUES.

QUAND LA PLUIE TOMBE, L'EAU RUISSELLE SUR LE SOL, REJOINT UN COURS D'EAU ET S'INFILTRE DANS LE SOL. LA SANTÉ DES DIVERS MILIEUX QU'ELLE TRAVERSE CONDITIONNE SA "POTABILITÉ".

LES ENFANTS, SAVEZ-VOUS QUE C'EST LA SANTÉ DE LA BIODIVERSITÉ...

... QUI PERMET AUX HABITANTS DE NEW YORK DE TRINQUER AVEC NOUS ?

IMAGINEZ DE BEAUX RELIEFS VERDOYANTS OÙ ALTERNENT FORÊTS, PÂTURAGES, ET COURS D'EAU.

NEW YORK S'EST ASSURÉ LES BONS SERVICES DES BASSINS DES RIVIÈRES DES MONTAGNES CATSKILL ET L'EAU N'A MÊME PAS BESOIN D'ÊTRE FILTRÉE !

FORCÉMENT ! ELLE A DÉJÀ ÉTÉ FILTRÉE PAR LE SOL. LES LÉGIONS DE BACTÉRIES, DE CHAMPIGNONS MICROSCOPIQUES ET LES ARMÉES DE MICRO-ORGANISMES LES PLUS DIVERS QUI LE COMPOSENT S'ACTIVENT À PURIFIER TOUTES LES EAUX (PLUIE, ROSÉE ET NEIGE FONDUE) QUI S'Y INFILTRENT.

C'EST COMME UN VASTE LABORATOIRE SOUTERRAIN AVEC DES INGÉNIEURS CHIMISTES ... QUI NE FERAIENT JAMAIS GRÈVE !

ON RACONTE QUE CE TRAVAIL GRATUIT A PERMIS D'ÉCONOMISER DES MILLIARDS DE DOLLARS.

NEW YORK A AINSI PU RACHETER DES TERRAINS SENSIBLES ET SIGNER DES ACCORDS AVEC LES AGRICULTEURS ET LES FORESTIERS POUR GARDER LES SOLS EXEMPTS DE PRODUITS CHIMIQUES.

LES MICRO-ORGANISMES SE PORTENT MIEUX ET ONT MOINS DE TRAVAIL EN L'ABSENCE DE POLLUANTS.

ON DIT QUE C'EST LA MEILLEURE EAU POTABLE DU MONDE !

LES MUNICIPALITÉS DEVRAIENT DONC RECOURIR À UNE BONNE GESTION ENVIRONNEMENTALE PERMETTANT À LA BIODIVERSITÉ DE JOUER SON RÔLE BÉNÉFIQUE POUR ELLE ET NOUS.

EN VOITURE, TOUT LE MONDE ! LE TEMPS A CHANGÉ = LES NUAGES CACHENT LE SOLEIL. IL NOUS FAUT " UNE PETITE LAINE ".

REGARDEZ CE PETIT TROUPEAU AVEC SON BERGER, C'EST EN TONDANT LES MOUTONS AU PRINTEMPS QUE L'ON OBTIENT DES FIBRES DE LAINE ...

ET C'EST GRÂCE À UN PAPILLON QUE L'ON A DE LA SOIE ...

LE COTON VIENT D'UN VÉGÉTAL ?

OUI, TOUT PROVIENT DE LA BIODIVERSITÉ ! MÊME LES FIBRES SYNTHÉTIQUES ! ELLES SONT OBTENUES VIA DES HYDROCARBURES ... LE PÉTROLE ... LA BIODIVERSITÉ DU LOINTAIN PASSÉ ...

ÇA ME FAIT PENSER AU LOUP ! JE ME SOUVIENS DE LA FABLE DE LA FONTAINE, LE LOUP ET L'AGNEAU, ET AUSSI DE L'HISTOIRE DE LA CHÈVRE DE MONSIEUR SEGUIN ...

UNE CAMPAGNE D'EXTERMINATION SÉCULAIRE AVAIT PRESQUE ÉLIMINÉ LE LOUP GRIS DU TERRITOIRE DES ÉTATS-UNIS.

L'ABSENCE DE PRÉDATEURS PROFITAIT AUX WAPITIS QUI PROLIFÉRAIENT. LES JEUNES PLANTES N'AVAIENT PAS LE TEMPS DE POUSSER...

SEULS LES TRÈS VIEUX ARBRES SURVIVAIENT...

LES CASTORS NE TROUVAIENT PLUS DE BOIS DE CONSTRUCTION, LES RIVES S'ÉRODAIENT...

EN 1995 ET 1996,
31 LOUPS GRIS
CANADIENS ONT
ÉTÉ RÉINTRODUITS.

LA POPULATION DES WAPITIS
A ALORS DIMINUÉ.

LA PEUR DU LOUP A DONC MODIFIÉ LES HABITUDES DE PÂTURAGE ET LES RIVES, MOINS PIÉTINÉES, REVERDISSENT...

... LES PLANTS DE PEUPLIER TREMBLE PEUVENT À NOUVEAU SE DÉVELOPPER PLUS FACILEMENT: LES FORESTIERS SONT SATISFAITS.

EN SOMME, LE LOUP EST UN BIENFAITEUR DE LA BIODIVERSITÉ.

TOUT À FAIT! IL FAVORISE MÊME LES "ÉBOUEURS" DE LA NATURE.

LES MANGEURS DE CADAVRES QUI, À CAUSE DU RÉCHAUFFEMENT CLIMATIQUE, VONT TROUVER BEAUCOUP MOINS D'ANIMAUX MORTS DE FROID.

LE LOUP LES AIDE SANS LE SAVOIR : UNE FOIS LE VENTRE REMPLI, IL ABANDONNE LES RESTES DE SON REPAS AUX CHAROGNARDS.

COMME LES COYOTES, PAR EXEMPLE.

ALORS, TOUT VA MIEUX QUAND LE LOUP EST LÀ ?

PAS POUR TOUT LE MONDE...

LA POPULATION DES CERVIDÉS SAUVAGES DE YELLOWSTONE A DÉCLINÉ RAPIDEMENT DEPUIS SON ARRIVÉE.

MAIS LE LOUP N'EST PEUT-ÊTRE PAS LE SEUL RESPONSABLE.

QUI D'AUTRE ?

LES DIZAINES DE GRIZZLYS QUI VIVENT DANS LE PARC SE NOURRISSAIENT TRADITIONNELLEMENT AU PRINTEMPS DE TRUITES FARDÉES, NATIVES DES EAUX DE YELLOWSTONE, ET DE QUELQUES JEUNES WAPITIS ÂGÉS D'UNE À DEUX SEMAINES.

ET VOILÀ QUE LA TRUITE GRISE, AUSSI APPELÉE OMBLE DU CANADA, EST INTRODUITE ILLÉGALEMENT. ELLE SE NOURRIT DE TRUITES FARDÉES, ET EN DÉCIME LA POPULATION.

ET COMME L'OMBLE DU CANADA VIT EN EAU PROFONDE, CONTRAIREMENT À LA TRUITE FARDÉE, LE GRIZZLY NE PEUT LA PÊCHER FACILEMENT. IL A DÛ SE RABATTRE SUR D'AUTRES PROIES ET A DONC TOUT NATURELLEMENT AUGMENTÉ SA CONSOMMATION DE JEUNES WAPITIS ...

SI JE SUIS BIEN LE RAISONNEMENT, L'INTRODUCTION D'UN POISSON A DES CONSÉQUENCES EN CHAÎNE, MÊME HORS DE L'EAU ...

EH OUI, RIEN N'EST SIMPLE.

EN FRANCE, LE LOUP ET L'OURS NE SONT GUÈRE APPRÉCIÉS DANS NOS MONTAGNES.

FORCÉMENT, LE LOUP ET L'OURS ONT ÉTÉ LES "BÊTES NOIRES" DES PAYSANS D'ANTAN.

LE LOUP CROQUE LES MOUTONS ...

BERGERS ET ÉLEVEURS S'INSURGENT. LES SOLUTIONS POUR PROTÉGER LES MOUTONS NE SONT PAS ENCORE RADICALEMENT EFFICACES.

IL FAUDRAIT RÉSOUDRE LA QUADRATURE DU CERCLE = PRÉSERVER À LA FOIS LA VIE DES MOUTONS ET CELLE DE LEURS PRÉDATEURS.

EST-CE POSSIBLE ?

PEUT-ÊTRE QU'UNE IDÉE VA SURGIR DE L'IMAGINATION HUMAINE ?

AFFAIRE À SUIVRE !

EN ATTENDANT, LA PETITE LAINE N'A PAS SUFFI. QUI A DE QUOI SOIGNER MON "COUP DE FROID" ?

VOILÀ UN CACHET D'ASPIRINE !

MERCI.

DIS AUSSI MERCI AU SAULE !

? ? ? ? ?

C'EST À PARTIR DE L'ÉCORCE DU SAULE BLANC QUE L'ON OBTIENT LA SALICYLINE...

... D'OÙ PROVIENT L'ASPIRINE.

ASPIRIN

LORS D'UN VOYAGE DANS LES PAYS SCANDINAVES, JE ME SOUVIENS AVOIR LOGÉ CHEZ L'HABITANT. J'ENTENDS ENCORE CETTE PHRASE...

MA PHARMACIE ? C'EST LA NATURE !

ON POURRAIT DIRE AUSSI : " MON ÉPICERIE, C'EST LA NATURE ! "

TOUTES LES CÉRÉALES ACTUELLEMENT CULTIVÉES ONT DES ANCÊTRES DANS LA FLORE SAUVAGE.

NOS AÏEUX L'ONT DOMESTIQUÉE POUR RÉCOLTER DU RIZ, DU BLÉ, DE L'AVOINE, DE L'ORGE, DU SEIGLE, DU MILLET EN AFRIQUE, OU ENCORE DE LA CANNE À SUCRE EN AMÉRIQUE DU SUD.

NOTRE ALIMENTATION MODERNE DÉPEND DE LA BIODIVERSITÉ CULTIVÉE.

MERCI, LES AGRICULTEURS, LES MARAÎCHERS, LES ARBORICULTEURS...

MERCI, LES VERS DE TERRE !

????

LE MÉRITE AGRICOLE DEVRAIT ÊTRE DÉCERNÉ AU VER DE TERRE.

DISONS TOUT DE SUITE QU'IL Y A UNE FOULE D'HABITANTS DANS LE SOL ; TOUS SONT INTÉRESSANTS MAIS LES VERS SONT LES PLUS CONNUS ET LEUR CÉLÉBRITÉ EST MÉRITÉE.

CE SONT LES PREMIERS LABOUREURS !

AVEC DES SPÉCIALITÉS. IL Y A LES BATAILLONS DE CEUX QUI CRÉENT DES FERTILISANTS NATURELS EN DÉCOMPOSANT LES FEUILLES ET AUTRES VÉGÉTAUX DE SURFACE.

IL Y A LES INGÉNIEURS QUI ÉTABLISSENT DES GALERIES SOUTERRAINES POUR AÉRER LE SOL.

CES GALERIES SONT DE VÉRITABLES AQUEDUCS QUI FOURNISSENT DE L'EAU AUX RACINES DES CULTURES ET LEUR PERMETTENT DE S'ENFONCER FACILEMENT.

IL Y A LES TRANSPORTEURS QUI AMÈNENT EN PROFONDEUR LES FERTILISANTS DE SURFACE...

IL Y EN A MÊME QUI SONT "MÉDECINS DU RIZ", DEVENANT DES ALLIÉS EN STIMULANT SES DÉFENSES CONTRE LES PARASITES.

EN SOMME, CE SONT DES TRAVAILLEURS BÉNÉVOLES !

LES MOUETTES QUI SUIVAIENT LES CHARRUES EN MANGEAIENT BEAUCOUP.

C'EST QU'IL Y EN AVAIT BEAUCOUP.

MAIS CE N'EST PLUS LE CAS, CAR LES VERS SONT MENACÉS PAR TROP D'ENGRAIS CHIMIQUES ET PAR LA POLLUTION DES SOLS...

MORALITÉ : S'IL N'Y A PAS DE VERS DE TERRE DANS UN SOL, CE N'EST PAS BON SIGNE !

C'EST BIEN VRAI !

AINSI, PAR EXEMPLE AU SIÈCLE DERNIER, POUR REMPLACER DES HUÎTRES LOCALES MAL EN POINT, ON A IMPORTÉ DES LARVES D'HUÎTRES JAPONAISES, APPELÉES "NAISSAINS", QUI EMPRISONNAIENT DES PLANTULES D'ALGUES DE L'ESPÈCE SARGASSE.

UNE FOIS LES NAISSAINS IMPLANTÉS EN MER, CES ALGUES S'Y SONT PLU ET ONT DEPUIS COLONISÉ LES CÔTES EUROPÉENNES.

UNE AUTRE ALGUE, LA CAULERPA TAXIFOLIA, FORT APPRÉCIÉE POUR DÉCORER LES AQUARIUMS, A ÉTÉ INTRODUITE ACCIDENTELLEMENT EN MÉDITERRANÉE.

ET ELLE S'Y PLAÎT BEAUCOUP !

TOUT À L'HEURE, ON A LOUÉ LE PRÉCIEUX LOMBRIC, EH BIEN, D'AUTRES VERS DE TERRE, IMPORTÉS INVOLONTAIREMENT DANS LA TERRE D'UNE CARGAISON DE PLANTES EN POTS ...

... SONT DES TUEURS DE LOMBRICS ...

CES NOUVEAUX VENUS SONT-ILS VRAIMENT INDÉSIRABLES ?

OUI, MAIS AVEC LE TEMPS, PARFOIS TOUT S'ARRANGE !

IL SEMBLERAIT QUE CE SOIT LE CAS POUR L'ALGUE DES SARGASSES.

MAIS LE TUEUR DE LOMBRICS N'A PAS DE PRÉDATEUR CHEZ NOUS.

C'EST AUSSI LE CAS DU FRELON ASIATIQUE, ARRIVÉ SANS CRIER GARE ET QUI ATTAQUE LES ABEILLES.

MON PAPY M'A DIT QUE DANS SA JEUNESSE...

... IL Y AVAIT DES ÉCREVISSES À PATTES ROUGES DANS LE RUISSEAU DE SON VILLAGE.

MAIS, AUJOURD'HUI, CE SONT DES ÉCREVISSES TOUTES ROUGES, VENUES DE LOUISIANE...

... QUI ONT ÉTÉ INTRODUITES VOLONTAIREMENT.

MON PAPY N'ÉTAIT PAS CONTENT!

LES INTRODUCTIONS VOLONTAIRES SONT INNOMBRABLES. SANS ELLES, TU N'AURAIS PAS MANGÉ DE PURÉE CE MIDI...

... TU N'AURAIS PAS DE TOMATES ...

... NI DE POMMES ...

... NI D'ABRICOTS ...

... OU ENCORE MOINS DE KIWIS.

IL FAUDRA QUE L'ON DRESSE UN TABLEAU DES CONTRÉES D'ORIGINE DE TOUT CE QUE NOUS MANGEONS...

... ÇA DONNERA L'OCCASION DE PARLER TOUT AUTANT DES INCAS QUI CULTIVAIENT LA POMME DE TERRE BIEN AVANT NOUS...

... QUE DE PARMENTIER QUI LA RENDIT POPULAIRE POUR ÉVITER LES FAMINES.

EH BIEN, CETTE RECHERCHE M'INTÉRESSE CAR EN SURFANT SUR DES SITES SPÉCIALISÉS*, J'AI APPRIS QUE LA POMME ORIGINELLE VIENDRAIT DU KAZAKHSTAN.

*VOIR PAGE COPYRIGHT (PAGE 2).

OUI, MAIS TOUT CE QUE LA NATURE PRODUIT N'EST PAS FORCÉMENT BON : IL Y A DES CHAMPIGNONS VÉNÉNEUX.

ET DES SERPENTS VENIMEUX... DES TAONS ET DES MOUSTIQUES !

LES CHAMPIGNONS QUI SONT MORTELS POUR NOUS NE LE SONT PAS POUR CERTAINES LIMACES QUI LES MANGENT.

ET CERTAINS MOUSTIQUES SERVENT DE NOURRITURE À CERTAINS OISEAUX, AUX GRENOUILLES.

LE NOMBRE D'OISEAUX MIGRATEURS SERAIT DIVISÉ PAR DEUX SI LES MOUSTIQUES DISPARAISSAIENT DE LA TOUNDRA ARCTIQUE !

EN BON JUGE, IL FAUT EXAMINER LE POUR ET LE CONTRE POUR CONSTATER QUE, FINALEMENT, CHAQUE ESPÈCE JOUE UN RÔLE DANS LA NATURE.

C'EST AUSSI LE CAS DE L'ÉCUREUIL GRIS QUI NUIT À L'ÉCUREUIL ROUX.

QUANT AU VISON D'AMÉRIQUE, IL A QUASIMENT FAIT DISPARAÎTRE LE VISON D'EUROPE.

IL A ÉTÉ DÉCIDÉ D'ATTRIBUER LE TERME D'ESPÈCE INVASIVE À CELLE QUI MENACE LA BIODIVERSITÉ EXISTANTE D'UN MILIEU, ENTRAÎNANT DES CONSÉQUENCES ÉCONOMIQUES OU PORTANT PRÉJUDICE À LA SANTÉ HUMAINE.

LES VERS TUEURS DE LOMBRICS, LE FRELON ASIATIQUE OU LE MOUSTIQUE TIGRE MÉRITENT CETTE APPELLATION. TOUT AUTANT QU'UNE COCCINELLE QUI, IMPORTÉE D'ASIE POUR LUTTER CONTRE LES PUCERONS, APPRÉCIE AUSSI LES LARVES DE COCCINELLES EUROPÉENNES.

TOUT VA SE COMPLIQUER AVEC LE RÉCHAUFFEMENT CLIMATIQUE. LES DÉPLACEMENTS D'ESPÈCES VÉGÉTALES ET ANIMALES SONT DÉJÀ AMORCÉS, CAR, COMME LES CONDITIONS DE VIE À LEUR EMPLACEMENT INITIAL SE DÉGRADENT, CES ESPÈCES VONT CHERCHER À S'IMPLANTER DANS D'AUTRES ENDROITS POUR ASSURER LEUR SURVIE.

TOUT EST LIÉ.

DURANT LE VOYAGE, HUBERT, POURRIEZ-VOUS NOUS EN DIRE DAVANTAGE SUR LES LIENS ENTRE ESPÈCES ?...

JE VAIS PRENDRE UN EXEMPLE OUTRE-ATLANTIQUE, AU SUD-OUEST DE L'ALASKA, DANS LES ALÉOUTIENNES.

C'EST UNE HISTOIRE COMPLIQUÉE, SUIVEZ-MOI BIEN !

DANS LES ANNÉES 1990, ON ASSISTE À UN EFFONDREMENT DE LA POPULATION DE LA LOUTRE, POURTANT OFFICIELLEMENT PROTÉGÉE.

EN MÊME TEMPS, LES OURSINS PULLULENT.

C'EST LOGIQUE ! LES LOUTRES SE NOURRISSANT D'OURSINS, MOINS DE LOUTRES ÉGALE MOINS DE PRÉLÈVEMENTS D'OURSINS.

SUR PLACE, VIVAIENT AUSSI DES ORQUES QUI AVAIENT L'HABITUDE DE MANGER DES PHOQUES.

CES DERNIERS DEVENAIENT RARES DANS LA RÉGION PARCE QUE LES POISSONS QU'ILS CONSOMMAIENT L'ÉTAIENT AUSSI, TANT LES PÊCHEURS EN AVAIENT PRIS DANS LEURS FILETS.

ALORS, LES ORQUES SE RABATTAIENT SUR LES LOUTRES QU'ILS NÉGLIGEAIENT AUPARAVANT.

ET CE N'EST PAS FINI ! LES OURSINS QUI PULLULAIENT DÉVASTAIENT LES LAMINAIRES, DES ALGUES QUI TAPISSENT LES FONDS MARINS CÔTIERS ET QUI SERVENT D'ABRI À QUANTITÉ D'ESPÈCES : VERS, CRUSTACÉS, MOLLUSQUES ET POISSONS ...

AU DÉBUT VOUS PARLIEZ D'UN EFFONDREMENT DE LA POPULATION DES LOUTRES, EN FAIT, C'EST UN EFFONDREMENT GÉNÉRALISÉ AUQUEL ON ASSISTE !

L'HISTOIRE CONTÉE EST À REVISITER EN COMMENÇANT PAR LE COMMENCEMENT, C'EST-À-DIRE LA PÊCHE NON LIMITÉE DES POISSONS DANS L'ARCHIPEL DES ALÉOUTIENNES À LA FIN DU SIÈCLE DERNIER.

IL S'EST PRODUIT UN ENCHAÎNEMENT DE FAITS À PARTIR D'UN ÉVÉNEMENT DÉCLENCHEUR : LA SURPÊCHE.

DIMINUTION DES POPULATIONS DE POISSONS.

DIMINUTION DE LA POPULATION DE PHOQUES.

J'AI APPRIS QUE LE POUMON DE LA PLANÈTE, C'EST L'AMAZONIE !

C'EST POUR ÇA QU'IL FAUT PROTÉGER SA FORÊT VIERGE !

EN EFFET, LES ARBRES FOURNISSENT DE L'OXYGÈNE, MAIS ILS EN CONSOMMENT AUSSI BEAUCOUP.

CE NE SONT PAS SEULEMENT TOUS LES ARBRES DE L'AMAZONIE NI MÊME TOUS CEUX QUI EXISTENT SUR TERRE QUI DÉLIVRENT CE PRÉCIEUX GAZ ...

... MAIS AUSSI LES PLUS MINUSCULES ALGUES DES OCÉANS.

MAIS DIS-MOI, CLOTHILDE, QU'EST-CE QU'UNE FORÊT VIERGE, SELON TOI ?

UNE FORÊT OÙ TOUT POUSSE NATURELLEMENT, SANS AVOIR ÉTÉ PLANTÉ PAR L'HOMME.

TOUT LE MONDE PENSE, EN EFFET, QU'EN AMAZONIE, TOUT POUSSE SANS AUCUNE INTERVENTION HUMAINE.

IL SE POURRAIT BIEN QUE CE NE SOIT PAS DU TOUT LE CAS, CAR L'AMAZONIE EST HABITÉE PAR DE NOMBREUSES TRIBUS ...

... DONT CERTAINES VIVENT ENCORE SANS AVOIR DE CONTACT AVEC NOUS : C'EST LEUR CHOIX.

LES AMÉRINDIENS ONT, DEPUIS DES DIZAINES DE MILLÉNAIRES, TOUJOURS MODIFIÉ LA FORÊT, CRÉÉ DES CLAIRIÈRES, TRANSPLANTÉ, SEMÉ, ETC., ET CETTE FORÊT QUE NOUS PENSIONS SAUVAGE RÉSULTE EN RÉALITÉ DE L'OCCUPATION HUMAINE À TRAVERS LE TEMPS.

DONC ELLE A ÉTÉ "HUMANISÉE"... ET EST POURTANT TRÈS RICHE EN BIODIVERSITÉ ?

TOUT À FAIT ! LA PRÉSENCE HUMAINE A ÉTÉ BÉNÉFIQUE À LA FORÊT CONSIDÉRÉE COMME UN JARDIN PAR LES TRIBUS HUMAINES QUI L'HABITAIENT.

FINALEMENT, ON A VRAIMENT RAISON QUAND ON DIT " STOP À LA DÉFORESTATION " !

BIEN SÛR, MAIS CHACUN VOIT LES CHOSES SELON SON PROPRE POINT DE VUE, CHACUN " VOIT MIDI À SA PORTE ", COMME ON DIT.

IL FAUDRAIT DONC QUE TOUT LE MONDE REGARDE PAR LA MÊME PORTE ... NOUS EN REPARLERONS.

NOUS VOILÀ DANS LES SOUS-BOIS ! QUEL CALME ! ON VA S'ASSEOIR EN CERCLE ... ET PARLER DE NOTRE PETIT VOYAGE D'AUJOURD'HUI.

CE QUI M'A MARQUÉE, CE SONT CES TRIBUS D'AMAZONIE SI DIFFÉRENTES DE NOUS.

VOUS VENEZ TOUS LES DEUX DE DÉCOUVRIR CE QUI EST VRAIMENT IMPORTANT : LA DIVERSITÉ ! CELLE DES VERS DE TERRE ET CELLE DES HUMAINS.

LES INDIENS SAVENT DES CHOSES ET NOUS EN SAVONS D'AUTRES. ON NE SE LASSERAIT PAS D'ÉCOUTER LEURS LÉGENDES, LEURS AVENTURES ... ON LEUR RACONTERAIT QUE DES HOMMES SONT ALLÉS SUR LA LUNE, RÉELLEMENT...

EH BIEN, TU POURRAIS TE DEMANDER SI LES PLANTES LE FONT, ELLES AUSSI ?

LES PLANTES ???

BON, ON SAIT QUE LES BALEINES CHANTENT POUR COMMUNIQUER ```

``` LES OISEAUX AUSSI ```

``` MAIS LES PLANTES, ELLES, N'ONT PAS DE GOSIER !

IL EXISTE UN MÉTIER EXTRAORDINAIRE : CHERCHEUR. DES CHERCHEURS VIENNENT DE PROUVER QUE DES FEUILLES D'ARBRES ENTAMÉES PAR DES ANIMAUX VÉGÉTARIENS SIGNALENT L'AGRESSION QU'ELLES SUBISSENT AUX FEUILLES ENCORE ÉPARGNÉES.

ET LE PLUS INTRIGANT : CES DERNIÈRES DÉCLENCHENT DES MÉCANISMES DE DÉFENSE.

C'EST DÉROUTANT !

C'EST TROUBLANT.

C'EST MERVEILLEUX !

60

NOTRE ESPÈCE A DISPOSÉ DE TOUT CE QUI LUI CONVENAIT POUR SE NOURRIR, SE VÊTIR, SE SOIGNER, S'AMUSER...

ELLE A LARGEMENT PUISÉ DANS CE "COFFRE DE RICHESSES"...

ELLE VIENT DE SE RENDRE COMPTE QUE CES RICHESSES SONT EN VOIE D'ÉPUISEMENT ... LE COFFRE SE VIDE !

DANS LA FANTASTIQUE SPIRALE DE LA BIODIVERSITÉ, NOTRE ESPÈCE, HOMO SAPIENS, EST LA SEULE À POUVOIR PRENDRE CONSCIENCE DE LA SITUATION QU'ELLE A PROVOQUÉE.

EN MÊME TEMPS, SON PROPRE AVENIR EST LIÉ À CELUI DE LA BIODIVERSITÉ PUISQU'ELLE EN FAIT PARTIE ET EN DÉPEND.

CAR LA BIODIVERSITÉ, C'EST LA VIE...

HUBERT REEVES DANIEL*CASANAVE NELLY BOUTINOT CLAIRE CHAMPION

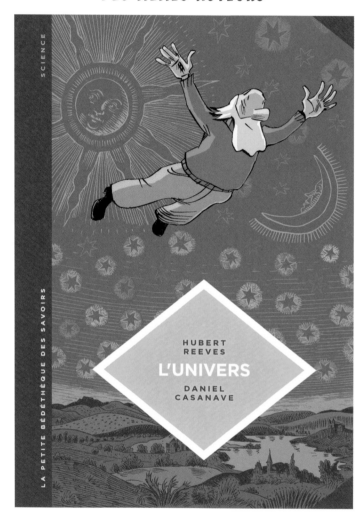